'사고력수학의 시작'

팡세

pensées

B2

2학년 | 퍼즐과 전략

사고가 자라는 수학

씨투엠

사고력 수학을 묻고
팡세가 답해요

Q: 사고력 수학은 '왜' 해야 하나요?

사고력 수학은 아이에게 낯선 문제를 접하게 함으로써 여러 가지 문제 해결 방법을 아이 스스로 생각하게 하는 것에 목적이 있어요. 정석적인 한 가지 풀이법만 알고 있는 아이는 결국 중등 이후에 나오는 응용 문제에 대한 해결력이 현저히 떨어지게 되지요. 반면 사고력 수학을 통해 여러 가지 풀이법을 스스로 생각하고 알아낸 경험이 있는 아이들은 한 번 막히는 문제도 다른 방법으로 뚫어낼 힘이 생기게 된답니다. 이러한 힘을 기르는 데 있어 사고력 수학이 가장 크게 도움이 된다고 확신해요.

Q: 사고력 수학이 '필수'인가요?

No but Yes! 초등 수학에서 가장 필수적인 것은 교과와 연산이지요. 또 중등에서의 서술형 평가를 대비하기 위한 서술형 학습과 어려운 중등 도형을 헤쳐나가기 위한 도형 학습 정도를 추가하면 돼요. 사고력 수학은 그 다음으로 중요하다고 할 수 있어요. 다만 만약 중등 이후에도 상위권을 꾸준하게 유지하겠다고 하시면 사고력 수학은 필수랍니다.

Q: 사고력 수학, 꼭 '어려운' 문제를 풀어야 하나요?

No! 기존의 사고력 수학 교재가 어려운 이유는 영재교육원 입시 때문이었어요. 상위권 중에서도 더 잘하는 아이, 즉 영재를 골라내는 시험에 사고력수학 문제가 단골로 출제되었고, 이에 대비하기 위해 만들어진 것이 초창기 사고력 수학 교재이지요. 하지만 모든 아이들이 영재일 수는 없고, 또 그래야할 필요도 없어요. 사고력 수학으로 영재를 확실하게 선별할 수 있는 것도 아니에요. 따라서 사고력 수학의 원래 목적, 즉 새로운 문제를 풀 수 있는 능력만 기를 수 있다면 난이도는 중요하지 않답니다. 오히려 어려운 문제는 수학에 대한 아이들의 자신감을 떨어뜨리는 부작용이 있다는 점! 반드시 기억해야 해요.

Q: 사고력 수학 학습에서 어떤 점에 '유의'해야 할까요?

가장 중요한 것은 아이가 스스로 방법을 생각할 수 있는 시간을 충분히 주는 거예요. 엄마나 선생님이 옆에서 방법을 바로 알려주거나 해답지를 줘버리면 사고력 수학의 효과는 없는 거나 마찬가지랍니다. 설령 문제를 못 풀더라도 아이가 스스로 고민하는 습관을 가지고, 방법을 찾아가는 시간을 늘리는 것이 아이의 문제해결력과 집중력을 기르는 방법이라고 꼭 새기며 아이가 스스로 발전할 수 있는 가능성을 믿어 보세요.

또 하나 더 강조하고 싶은 것은 문제의 답을 모두 맞힐 필요가 없다는 거예요. 사고력 수학 문제를 백점 맞는다고 해서 바로 성적이 쑥쑥 오르는 것이 아니에요. 사고력 수학은 훗날 아이가 더 어려운 문제를 풀기 위한 수학적 힘을 기르는 과정으로 봐야 하는 거지요. 그러니 아이가 하나 맞히고 틀리는 것에 일희일비하지 말고 우리 아이가 문제를 어떤 방법으로 풀려고 했고, 왜 어려워 하는지 표현하게 하는 것이 훨씬 중요하답니다. 사고력 수학은 문제의 결과인 답보다 답을 찾아가는 과정 그 자체에 의미가 있다는 사실을 꼭! 꼭! 기억해 주세요.

팡세의 구성과 특징

1. 패턴, 퍼즐과 전략, 유추, 카운팅 - 새로운 시대에 맞는 새로운 사고력 영역!

2. 아이가 혼자서도 술술 풀어나가며 자신감을 기르기에 딱 좋은 난이도!

3. 하루 10분 1장만 풀어도 초등에서 꼭 키워야 하는 사고력을 쑥쑥!

일일 소주제 학습

하루에 10분씩 매일 1장씩만 꾸준히 풀면 돼.

주차별 확인학습

5일 동안 배운 것 중 가장 중요한 문제를 복습하는 거야!

월간 마무리 평가

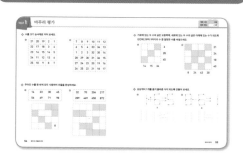

4주 동안 공부한 내용 중 어디가 부족한지 알 수 있다. 삐리삐리~

이 책의 차례

B2

pensées

논리 퍼즐

수를 크기 순서대로 이어 보세요.

13	14	15	16	17
12	11	10	19	18
3	4	9	20	25
2	5	8	21	24
1	6	7	22	23

먼저 1을 찾은 후
차례로 이어 봐.

❶

15	14	13	10	9
16	17	12	11	8
19	18	1	2	7
20	25	24	3	6
21	22	23	4	5

❷

1	2	17	16	15
4	3	18	25	14
5	20	19	24	13
6	21	22	23	12
7	8	9	10	11

❸

20	19	18	15	14
21	22	17	16	13
30	23	10	11	12
29	24	9	4	3
28	25	8	5	2
27	26	7	6	1

❹

7	6	3	2	1
8	5	4	15	16
9	12	13	14	17
10	11	22	21	18
25	24	23	20	19
26	27	28	29	30

❺

9	10	11	12	13	14
8	7	6	5	4	15
29	28	1	2	3	16
30	27	26	25	18	17
31	32	33	24	19	20
36	35	34	23	22	21

❻

26	25	24	23	20	19
27	28	29	22	21	18
6	7	30	31	32	17
5	8	9	36	33	16
4	3	10	35	34	15
1	2	11	12	13	14

✏️ 규칙에 맞게 수를 크기 순서대로 배열한 것입니다. 빈칸에 알맞은 수를 써넣으세요.

1	2	3	4	5
10	9	8	7	6
11	12	13	14	15
20	19	18	17	16
21	22	23	24	25

⇉ 방향으로 수를 배열하였습니다.

먼저 수 배열의 규칙을 찾아봐.

❶

1	6		16	
2				
3		13		
		14	19	
	10	15		25

❷

1	2		7	15
3	5	8	14	16
4		13		22
	12	18		
	19			25

❸

1	2			
				6
15	24	25		7
14		22		
13	12	11	10	

❹

			6	
24	17	14	7	
	18			3
22	19			
		11	10	1

❺

	22	23		
			9	10
19	6	1	2	11
18	5	4		12
				13

❻

1	2	5		17
	3			
9	8			
16		14	13	20
			22	21

✏️ 가로, 세로로 이웃한 칸과 순서대로 연결되고 각 칸에 주어진 수가 한 번씩 들어가도록 넘브릭스 퍼즐을 풀어 보세요.

❶
1부터 25까지의 수

1				5
	21			6
		9	12	
25	18			

❷
1부터 25까지의 수

1				
	9	4		24
			20	25
	7			
			16	

❸ 1부터 25까지의 수

	25	20	19	
1	2		14	
6				
			10	11

❹ 1부터 25까지의 수

1	4			
			9	
13			24	
14			25	
			20	

❺ 1부터 49까지의 홀수

		21		1
27				3
33		13		
			9	
		45		49

❻ 2부터 50까지의 짝수

		30		
24				40
		2		
16		8		44
		50		46

✎ ○ 안에 선이 지나간 칸 수를 써넣으세요. 출발 지점의 칸 수는 제외합니다.

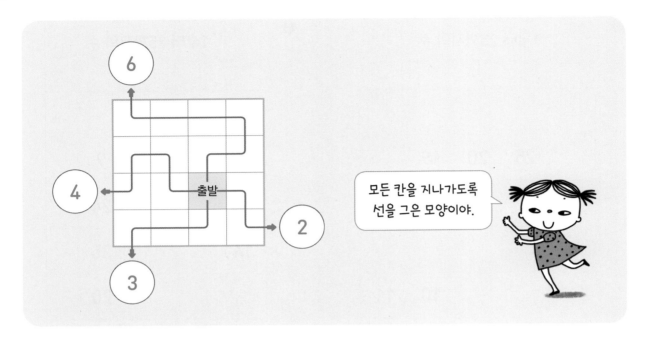

❶

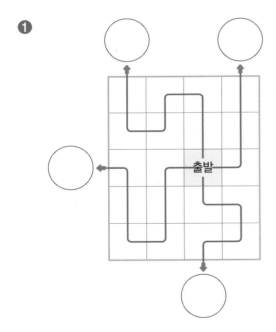

❷

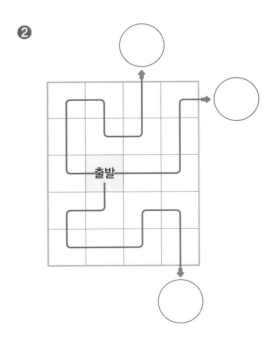

❸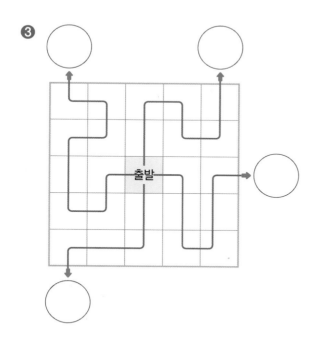

❹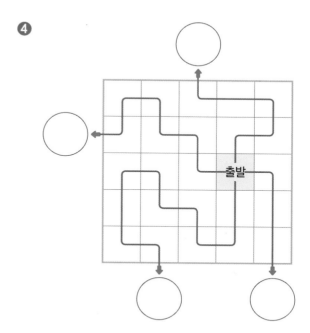

❺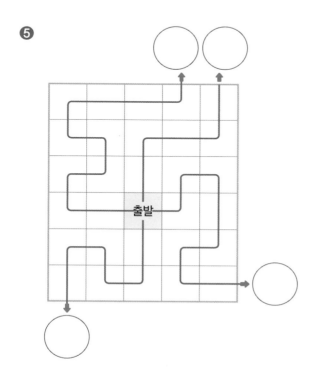

❻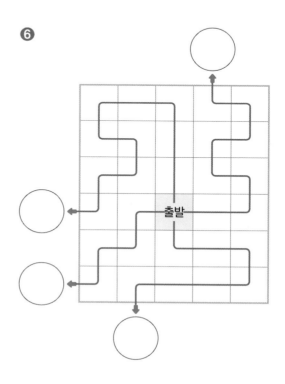

✏️ 🔘 안의 수만큼 칸을 지나 도착점까지 선을 그어 보세요. 가로 또는 세로로만 선을 그을 수 있고, 한 번 지나간 칸은 다시 지날 수 없습니다.

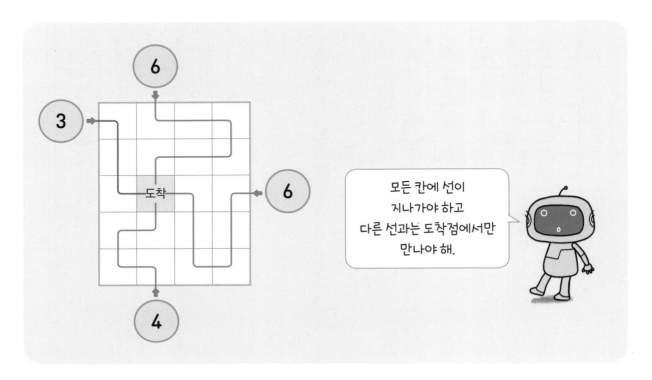

모든 칸에 선이 지나가야 하고 다른 선과는 도착점에서만 만나야 해.

❶

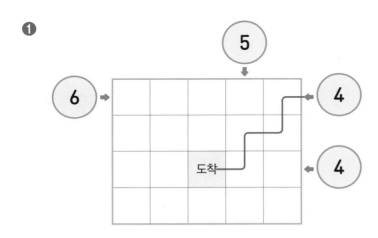

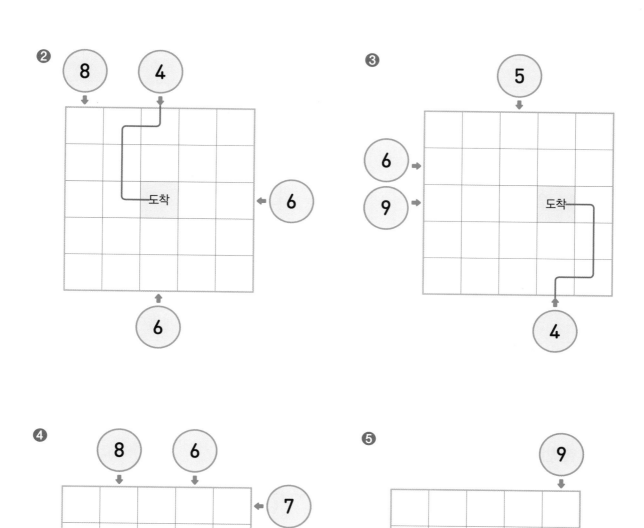

✏️ 가로, 세로로 이웃한 칸과 순서대로 연결되고 각 칸에 1부터 25까지의 수가 한 번씩 들어가도록 넘브릭스 퍼즐을 풀어 보세요.

❶

		5		1
	25			
	20		8	
18	19		13	

❷

6	1		25	22
	14			
	13		17	
			18	

✏️ ⚪ 안의 수만큼 칸을 지나 도착점까지 선을 그어 보세요. 가로 또는 세로로만 선을 그을 수 있고, 한 번 지나간 칸은 다시 지날 수 없습니다.

❸

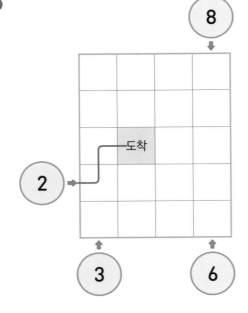

❹

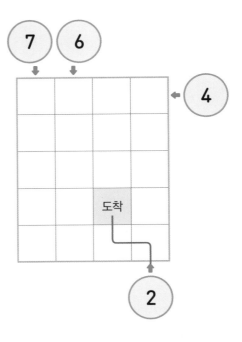

수 배치

✏️ 수를 모두 찾아 ◯표 하세요.

3	2	
	7	5
		1

가로, 세로 방향으로
수를 찾아봐.

(27)	(32)	25	72
37	(51)	(75)	73

가로 방향으로 32, 75이고 세로 방향으로 27, 51입
니다.

❶

	6	7
9		1
4	7	

67	97	94	76
61	49	71	47

❷

2		
6	8	
	5	9

65	89	85	68
59	62	56	26

❸

6	3	9	
4		2	
	5	7	1

74	269	64	713
178	927	571	639

❹

	7	1	
4	8		3
	2	6	0

73	260	71	710
782	48	86	30

❺

3				2
7	1	8		0
2		8	6	5
		3		

372	205	883	318
718	783	865	863

❻

				4
7	6	9		4
		2	0	3
3	8	5		

443	903	925	369
203	385	769	302

✏ 주어진 수를 한 번씩 모두 사용하여 퍼즐을 완성하세요.

| 84 | 215 | 574 | 923 |

9	2	3	
	1		8
	5	7	4

두 자리 수가 하나뿐
이므로 두 자리 수부터
넣어 봐.

❶

| 70 | 167 | 526 | 745 |

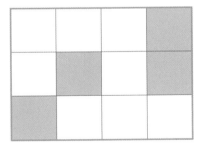

❷

| 45 | 60 | 71 | 169 | 529 |

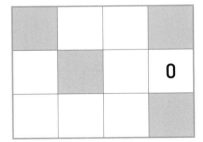

❸

51	57	61	62
65	74	77	85

❹

12	24	35	49
55	61	78	86

❺

13	54	320	598
621	679		882

❻

53	67	308	481
516	532	718	940

가로세로 수 퍼즐

✎ 가로, 세로 열쇠를 보고 빈칸에 알맞은 수를 써넣으세요.

① 9	8	② 7
1		9
	③ 1	0

가로 ①은 주어진
조건만으로는 구할 수 없어.
먼저 확실히
알 수 있는 수를 찾아.

[가로 열쇠]
① 백의 자리에서 일의 자리로 갈수록 1씩 작아지는 수
③ 가장 작은 두 자리 짝수

[세로 열쇠]
① 각 자리 숫자의 합이 10인 두 자리 수 중 가장 큰 수
② 800보다 10 작은 수

❶

①		②	
		③	④
⑤			

[가로 열쇠]
① 일의 자리부터 거꾸로 쓰면 129인 수
③ 35보다 3 큰 수
⑤ 십의 자리 숫자가 일의 자리 숫자보다 5 큰 수

[세로 열쇠]
① 가장 큰 세 자리 수
② 두 번째로 작은 두 자리 홀수
④ 각 자리 숫자가 모두 8인 세 자리 수

❷

	①	②		③
		④		
⑤				
			⑥	
⑦				

[가로 열쇠]

① 각 자리 숫자의 합이 **11**인 두 자리 수 중 가장 큰 수

④ 가장 작은 세 자리 수

⑤ 일의 자리에서 백의 자리로 갈수록 **2**씩 커지는 세 자리 수

⑥ **43 + 25**

⑦ 앞으로 읽으나 뒤로 읽으나 같은 수

[세로 열쇠]

② **200**보다 **11** 큰 수

③ **100**보다 **10** 작은 수

⑤ **590**보다 **3** 작은 수

⑥ 일의 자리 숫자가 십의 자리 숫자의 절반인 수

❸

		①		
②				
		③	④	
⑤	⑥			
			⑦	

[가로 열쇠]

① **80**보다 **10** 작은 수

② 백의 자리에서 일의 자리로 갈수록 **3**씩 커지는 수

③ 각 자리 숫자의 합이 **25**인 세 자리 수

⑤ 십의 자리 숫자와 일의 자리 숫자가 같은 두 자리 수

⑦ 가장 작은 두 자리 홀수

[세로 열쇠]

① 각 자리 숫자가 모두 같은 수

② 두 번째로 작은 세 자리 홀수

④ **900**보다 **1** 큰 수

⑥ 십의 자리 숫자가 일의 자리 숫자보다 큰 두 자리 홀수

수 만들기

✏️ 화살표 방향으로 두 자리 수를 완성하세요.

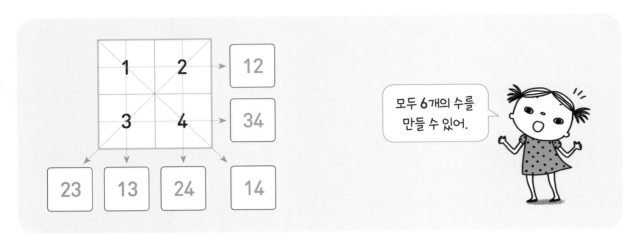

❶
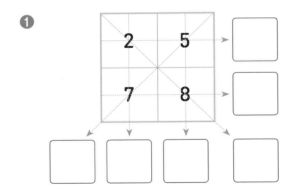

❷
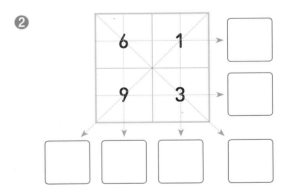

❸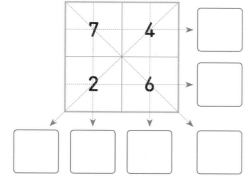

❹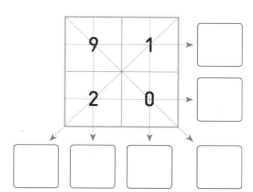

❺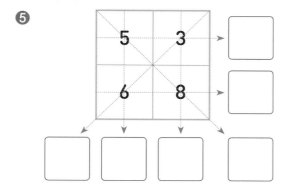

❻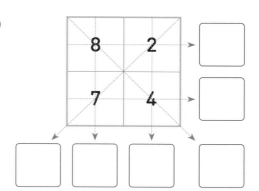

❼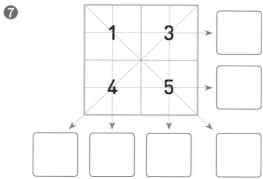

❽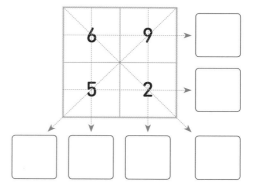

수 배치하기

화살표의 방향을 따라 두 자리 수 6개를 만들 수 있습니다. 이와 같은 방법으로 다음과 같이 두 자리 수 6개를 만들었을 때, 빈칸에 알맞은 수를 써넣으세요.

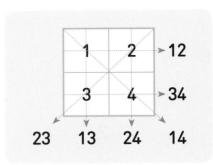

26　48　68　64　28　24

2	6
4	8

빨간색 칸에 들어갈 숫자는 십의 자리에만 세 번 사용된 숫자야.

❶ 21　79　91　72　92　71

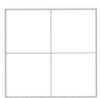

❷ 54　84　53　34　38　58

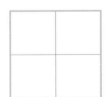

❸ 37 62 27 63 32 67

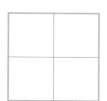

❹ 17 15 35 37 75 13

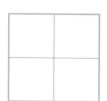

❺ 34 84 98 93 83 94

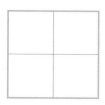

❻ 74 64 41 67 61 71

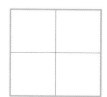

❼ 82 52 53 32 83 58

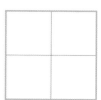

❽ 59 69 36 35 56 39

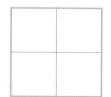

✏️ 주어진 수를 한 번씩 모두 사용하여 퍼즐을 완성하세요.

❶

| 21 | 23 | 47 | 49 |
| 50 | 63 | 80 | 81 |

	7		
5			

❷

| 58 | 76 | 307 | 679 |
| 684 | | 753 | | 912 |

✏️ 오른쪽과 같은 방법으로 두 자리 수 6개를 만들었을 때, 빈칸에 알맞은 수를 써넣으세요.

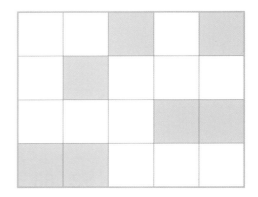

❸

| 16 | 41 | 46 | 91 | 94 | 96 |

❹

| 23 | 25 | 28 | 53 | 58 | 83 |

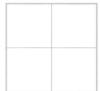

곱셈 퍼즐

가로세로 곱셈

가로에 있는 두 수의 곱은 오른쪽에, 세로에 있는 두 수의 곱은 아래에 있는 수가 됩니다. ☐ 안에 알맞은 수를 써넣으세요.

2	4		8
8		3	24
	5	7	35
16	20	21	

줄에 잘 맞춰서 곱셈을 해 보자.

❶

	6	1	
4	5		
8		9	

❷

9		3	
2	1		
	6	7	

③

	5		7	
3		6		
	2		9	
8		6		

④

9			9	
	3	5		
	7	7		
8			4	

⑤

	8	6		
	1		6	
7		2		
5			9	

⑥

4	8			
5		9		
	8		7	
		3	1	

곱셈 매트릭스 (1)

✏️ 가로에 있는 두 수의 곱은 오른쪽에, 세로에 있는 두 수의 곱은 아래에 있는 수가 됩니다. 곱이 바르게 되도록 지워야 할 수를 찾아 ✕표 하세요.

6	3	✕7	**18**	6 × 3 = 18
✕4	9	5	**45**	9 × 5 = 45
8	✕4	2	**16**	8 × 2 = 16
48	27	10		

가로줄, 세로줄 중에 식이 쉬운 것을 하나 선택해서 풀어 봐.

❶

3	4	5	15
7	4	3	28
9	2	6	12
21	8	30	

❷

3	9	2	18
7	2	6	42
5	3	4	15
35	27	12	

❸

3	1	6	3
6	3	9	54
9	8	4	32
18	8	36	

❹

2	8	4	32
5	6	3	30
7	3	7	49
35	48	28	

❺

6	4	2	12
6	8	9	48
7	5	3	15
36	40	6	

❻

7	8	9	63
7	4	4	16
8	6	5	48
56	24	36	

곱셈 매트릭스 (2)

✏️ 가로에 있는 두 수의 곱은 오른쪽에, 세로에 있는 두 수의 곱은 아래에 있는 수가 되도록 빈칸에 2부터 9까지의 수 중 알맞은 수를 써넣으세요.

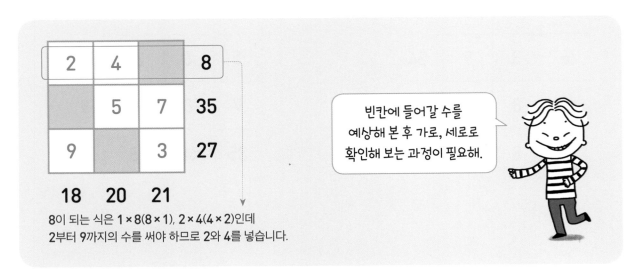

8이 되는 식은 1 × 8(8 × 1), 2 × 4(4 × 2)인데
2부터 9까지의 수를 써야 하므로 2와 4를 넣습니다.

빈칸에 들어갈 수를
예상해 본 후 가로, 세로로
확인해 보는 과정이 필요해.

❶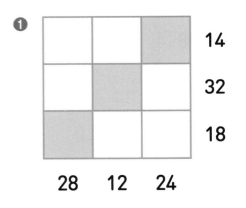

❷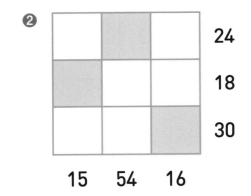

❸

				14
				12
				48
				45

8　　42　　27　　40

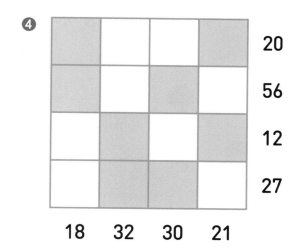

❺

				32
				10
				63
				18

36　　12　　56　　15

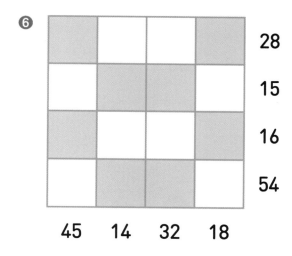

도형이 나타내는 수

✏️ 가로에 있는 두 수의 곱은 오른쪽에, 세로에 있는 두 수의 곱은 아래에 있는 수입니다. 각 모양은 1부터 9까지의 수 중 하나일 때 ☐ 안에 알맞은 수를 써넣으세요.

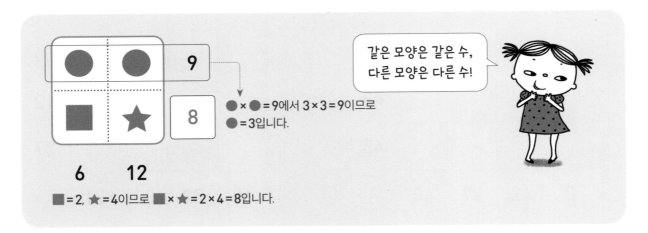

❶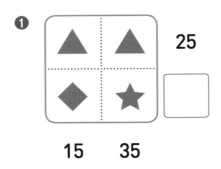

❷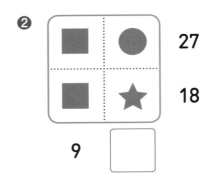

❸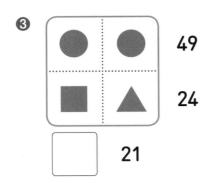

❹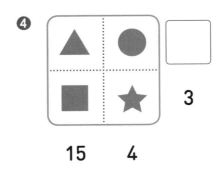

❺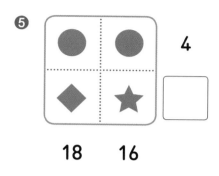

4

18   16

❻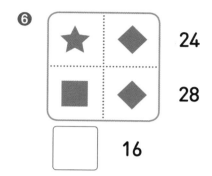

24

28

16

❼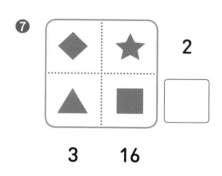

2

3   16

❽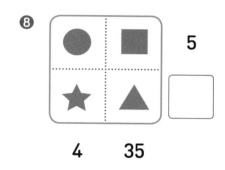

5

4   35

❾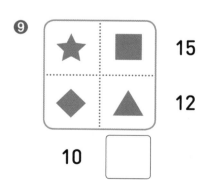

15

12

10

❿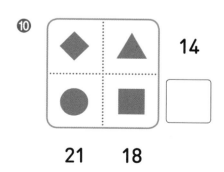

14

21   18

패턴 인식 목표수

✏️ 색칠한 칸부터 시작하여 가로, 세로, 대각선 방향으로 5칸을 이동하며 차례로 계산한 결과가 ◯ 안의 수가 되도록 선으로 이어 보세요. 계산 순서는 앞의 두 수를 먼저 계산한 다음 세 번째 수를 계산합니다.

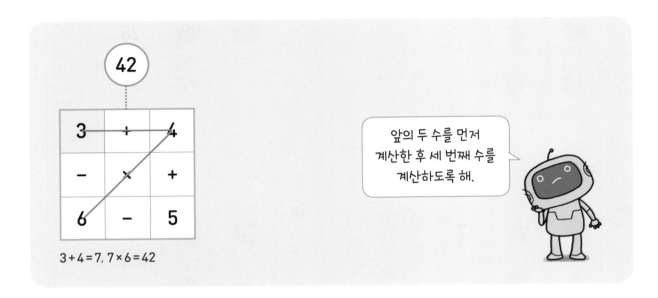

42

3	+	4
−	×	+
6	−	5

3+4=7, 7×6=42

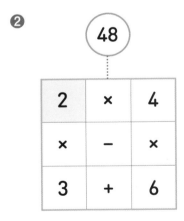

앞의 두 수를 먼저 계산한 후 세 번째 수를 계산하도록 해.

❶ 21

6	+	3
−	×	−
7	+	4

❷ 48

2	×	4
×	−	×
3	+	6

❸

(14)

5	+	3
−	×	−
4	+	2

❹

(34)

8	×	7
×	−	×
4	+	2

❺

(40)

7	+	8
−	×	−
2	+	5

❻

(24)

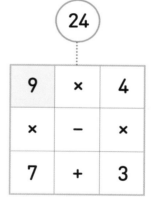

9	×	4
×	−	×
7	+	3

❼

(32)

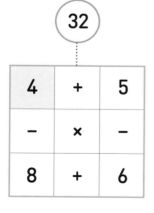

4	+	5
−	×	−
8	+	6

❽

(36)

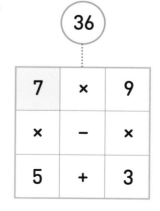

7	×	9
×	−	×
5	+	3

✏️ 가로에 있는 두 수의 곱은 오른쪽에, 세로에 있는 두 수의 곱은 아래에 있는 수입니다. 각 모양은 1부터 9까지의 수 중 하나일 때 ☐ 안에 알맞은 수를 써넣으세요.

❶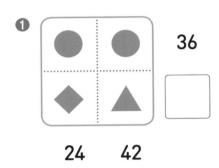

36

24   42

❷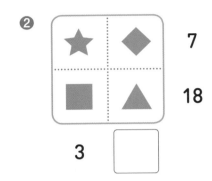

7

18

3

✏️ 색칠한 칸부터 시작하여 가로, 세로, 대각선 방향으로 5칸을 이동하며 차례로 계산한 결과가 ◯ 안의 수가 되도록 선으로 이어 보세요. 계산 순서는 앞의 두 수를 먼저 계산한 다음 세 번째 수를 계산합니다.

❸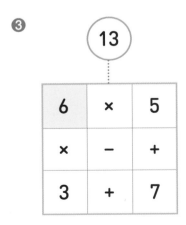

❹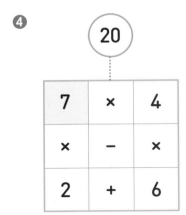

동전과 성냥개비

4
주차

✏️ 동전의 개수와 금액을 구해 보세요.

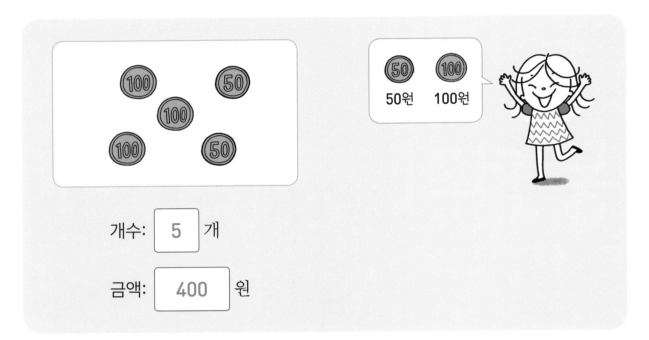

개수: 5 개

금액: 400 원

❶
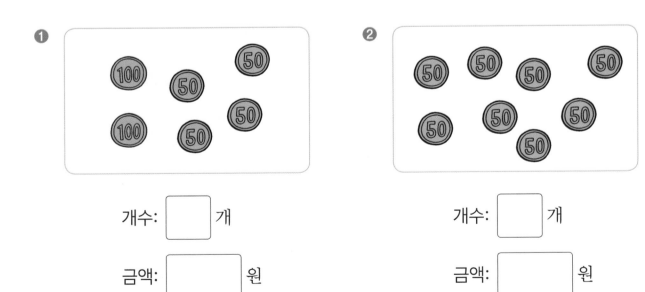

개수: ☐ 개

금액: ☐ 원

❷

개수: ☐ 개

금액: ☐ 원

❸
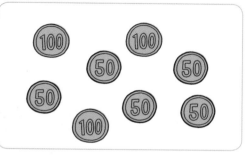

개수: ☐ 개

금액: ☐ 원

❹
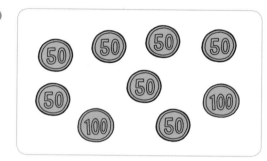

개수: ☐ 개

금액: ☐ 원

❺
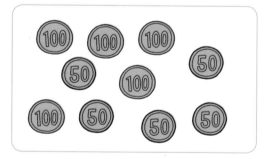

개수: ☐ 개

금액: ☐ 원

❻
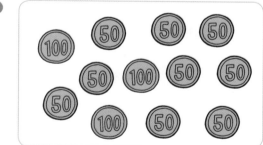

개수: ☐ 개

금액: ☐ 원

금액 만들기

✏️ 50원, 100원짜리 동전을 주어진 개수만큼 사용하여 ☐ 안의 금액을 만들려고 합니다.
○ 안에 금액을 알맞게 써넣으세요.

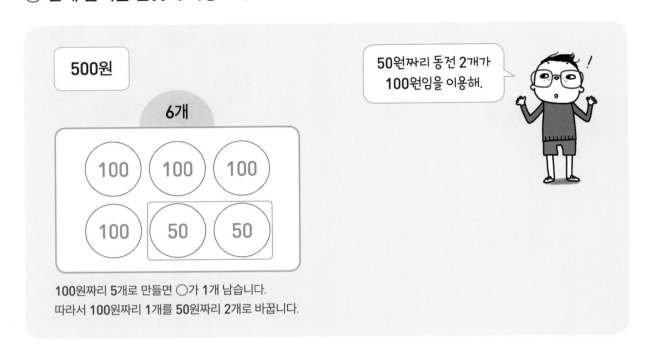

50원짜리 동전 2개가
100원임을 이용해.

500원

6개

100원짜리 5개로 만들면 ○가 1개 남습니다.
따라서 100원짜리 1개를 50원짜리 2개로 바꿉니다.

1 500원

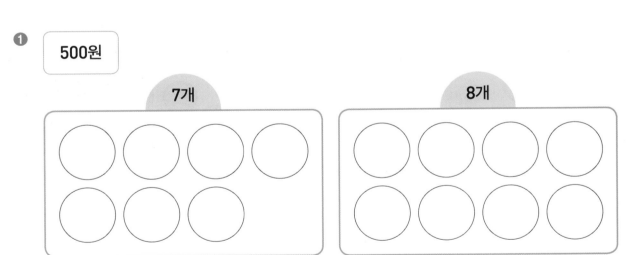

7개

8개

❷ 700원

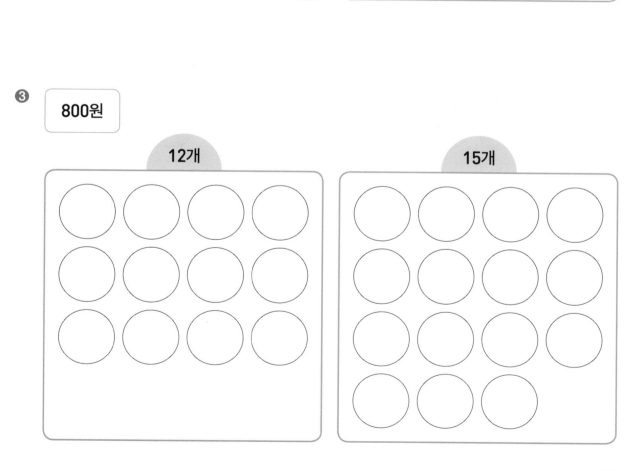

8개

10개

❸ 800원

12개

15개

동전 매트릭스

✏️ 다음 동전을 사용하여 매트릭스를 완성하려고 합니다. 빈칸에 알맞은 동전의 금액을 써 넣으세요. 오른쪽과 아래에 있는 수는 각각 가로, 세로에 놓인 금액의 합입니다.

10	100	**110**
50	500	**550**
60	**600**	

500원이 놓이는 곳을 가장 먼저 찾아봐.

10 + 100 = 110, 50 + 500 = 550
10 + 50 = 60, 100 + 500 = 600

❶

		150
		510
110	550	

❷

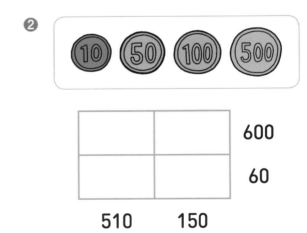

		600
		60
510	150	

❸

10 10 100 500

600

20

510 110

❹

50 50 100 500

150

550

600 100

❺

50 100 100 500

150

600

200 550

❻

10 50 100 100

200

60

110 150

성냥개비 숫자

✏️ 다음은 성냥개비로 만든 **0**부터 **9**까지의 숫자입니다.

조건에 맞게 성냥개비 숫자를 그려 보세요.

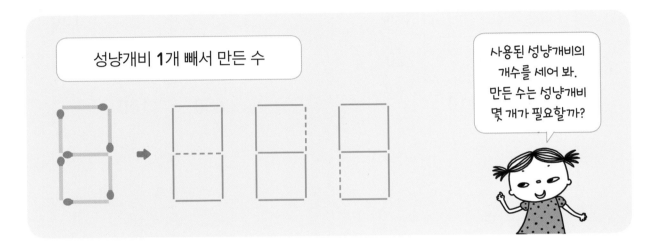

성냥개비 **1**개 빼서 만든 수

사용된 성냥개비의 개수를 세어 봐.
만든 수는 성냥개비 몇 개가 필요할까?

① 성냥개비 **1**개 빼서 만든 수

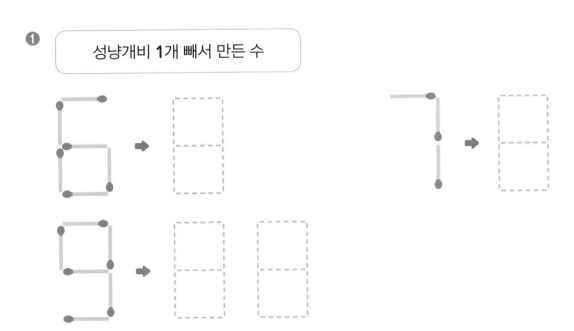

② 성냥개비 **1**개 더해서 만든 수

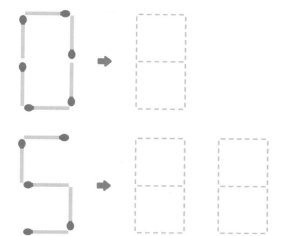

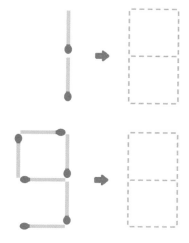

③ 성냥개비 **1**개 옮겨서 만든 수

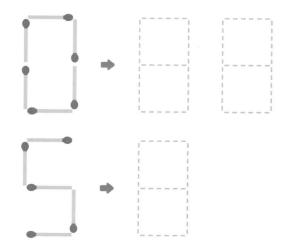

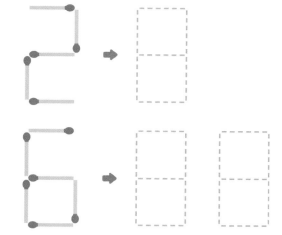

성냥개비 식

📏 조건에 맞게 성냥개비를 움직여 올바른 식이 되도록 만들어 보세요.

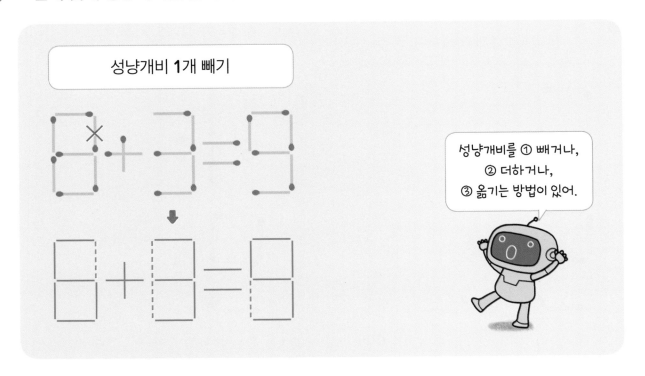

성냥개비 1개 빼기

성냥개비를 ① 빼거나,
② 더하거나,
③ 옮기는 방법이 있어.

❶ 성냥개비 1개 빼기

❷ 성냥개비 1개 빼기

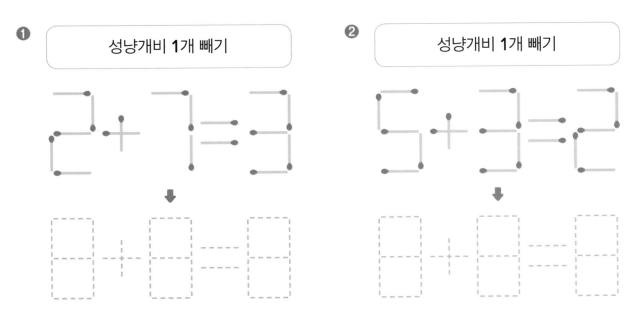

❸ 성냥개비 1개 더하기

5+2=8

↓

□+□=□

❹ 성냥개비 1개 옮기기

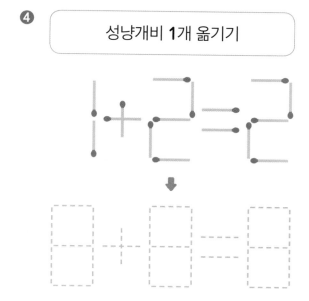

↓

□+□=□

❺ 성냥개비 1개 옮기기

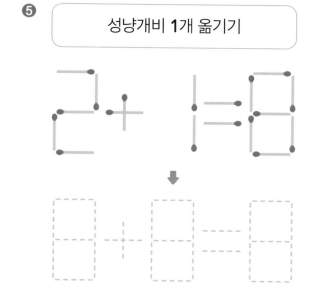

↓

□+□=□

❻ 성냥개비 1개 옮기기

↓

□+□=□

✏ 50원, 100원짜리 동전을 주어진 개수만큼 사용하여 ☐ 안의 금액을 만들려고 합니다.
○ 안에 금액을 알맞게 써넣으세요.

❶ 750원

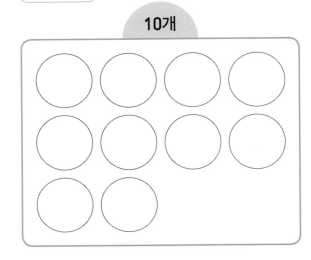

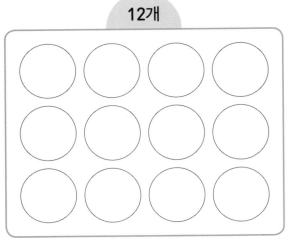

✏ 조건에 맞게 성냥개비를 움직여 올바른 식이 되도록 만들어 보세요.

❷ 성냥개비 **1**개 더하기

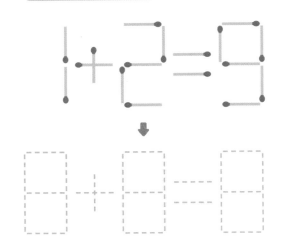

❸ 성냥개비 **1**개 빼기

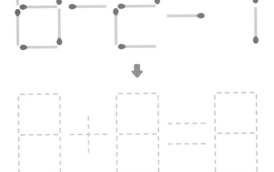

마무리 평가

마무리 평가는 앞에서 공부한 4주차의 유형이 다음과 같은 순서로 나와요.
틀린 문제는 몇 주차인지 확인하여 반드시 다시 한 번 학습하도록 해요.

1주차	3주차
2주차	4주차

✦ 수를 크기 순서대로 이어 보세요.

①

21	20	19	2	1
22	17	18	3	4
23	16	15	14	5
24	11	12	13	6
25	10	9	8	7

②

7	8	9	10	11	12
6	5	4	33	34	13
1	2	3	32	35	14
28	29	30	31	36	15
27	24	23	20	19	16
26	25	22	21	18	17

✦ 주어진 수를 한 번씩 모두 사용하여 퍼즐을 완성하세요.

③

14	23	30	45
56	69	71	98

			8

④

32	70	204	217
289	469	658	872

➕ 가로에 있는 두 수의 곱은 오른쪽에, 세로에 있는 두 수의 곱은 아래에 있는 수가 되도록
빈칸에 2부터 9까지의 수 중 알맞은 수를 써넣으세요.

❺
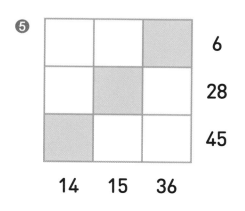

❻
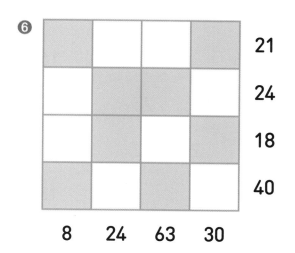

➕ 성냥개비 1개를 옮겨 올바른 식이 되도록 만들어 보세요.

❼ ❽
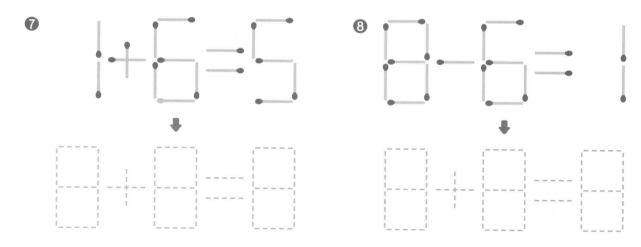

✦ 규칙에 맞게 수를 크기 순서대로 배열한 것입니다. 빈칸에 알맞은 수를 써넣으세요.

❶

		3	2	1
6				16
7		25		
	21	22		
				13

❷

1	3	4		
2		9	12	
6			18	20
7		17	21	24
	16			

✦ 가로, 세로 열쇠를 보고 빈칸에 알맞은 수를 써넣으세요.

❸

[가로 열쇠]

① 일의 자리에서 백의 자리로 갈수록 2씩 작아지는 세 자리 수

③ 각 자리 숫자의 합이 16인 세 자리 수

⑤ 십의 자리 숫자가 일의 자리 숫자보다 5 작은 수

⑥ 가장 큰 두 자리 짝수

⑦ 68보다 10 큰 수

[세로 열쇠]

② 가장 큰 세 자리 수

④ 75보다 10 작은 수

⑤ 일의 자리부터 거꾸로 쓰면 824인 수

💠 가로에 있는 두 수의 곱은 오른쪽에, 세로에 있는 두 수의 곱은 아래에 있는 수입니다. 각 모양은 1부터 9까지의 수 중 하나일 때 ☐ 안에 알맞은 수를 써넣으세요.

❹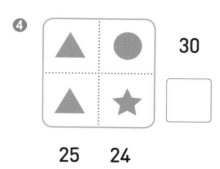

❺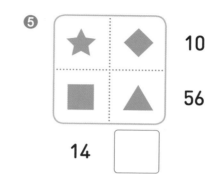

💠 동전의 개수와 금액을 구해 보세요.

❻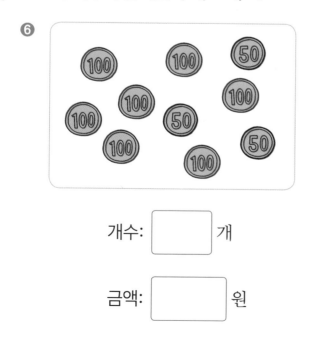

개수: ☐ 개

금액: ☐ 원

❼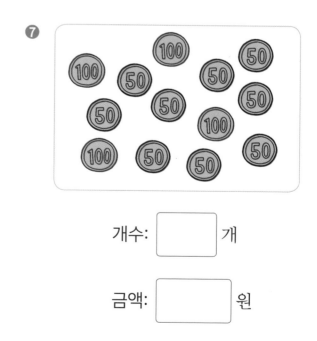

개수: ☐ 개

금액: ☐ 원

🔹 가로, 세로로 이웃한 칸과 순서대로 연결되고 각 칸에 1부터 25까지의 수가 한 번씩 들어가도록 넘브릭스 퍼즐을 풀어 보세요.

❶

1	6			
	5		17	10
	21			
		25		13

❷

15			20	
	13	18		
		1		
		6		
9			4	25

🔹 화살표 방향으로 두 자리 수를 완성하세요.

❸

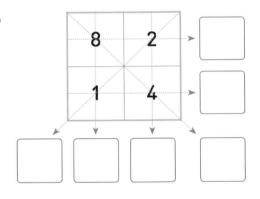

❹

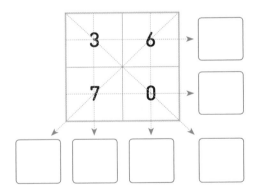

❺

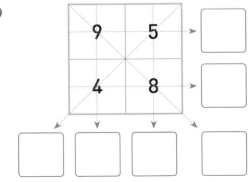

❻

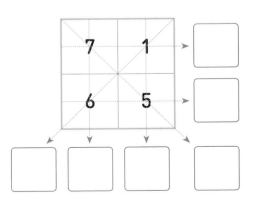

✤ 색칠한 칸부터 시작하여 가로, 세로, 대각선 방향으로 5칸을 이동하며 차례로 계산한 결과가 ◯ 안의 수가 되도록 선으로 이어 보세요. 계산 순서는 앞의 두 수를 먼저 계산한 다음 세 번째 수를 계산합니다.

❼

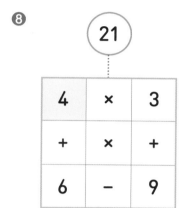

(45)

2	+	7
+	×	−
5	−	8

❽

(21)

4	×	3
+	×	+
6	−	9

✤ 50원, 100원짜리 동전을 주어진 개수만큼 사용하여 ☐ 안의 금액을 만들려고 합니다. ◯ 안에 금액을 알맞게 써넣으세요.

❾ 600원

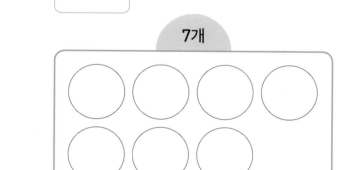

7개

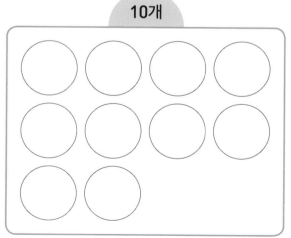

10개

✤ ○ 안에 선이 지나간 칸 수를 써넣으세요. 출발 지점의 칸 수는 제외합니다.

❶

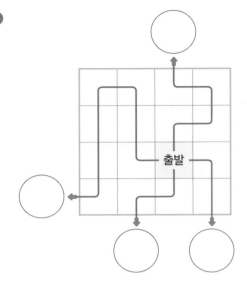

❷

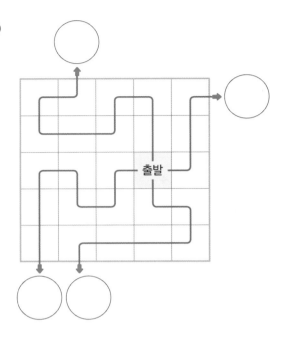

✤ 오른쪽과 같은 방법으로 두 자리 수 6개를 만들었을 때, 빈칸에 알맞은 수를 써넣으세요.

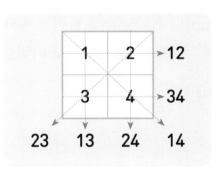

❸

| 23 | 27 | 42 | 43 | 47 | 73 |

❹

| 51 | 59 | 61 | 65 | 69 | 91 |

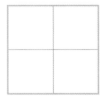

✤ 가로에 있는 두 수의 곱은 오른쪽에, 세로에 있는 두 수의 곱은 아래에 있는 수가 됩니다. ☐ 안에 알맞은 수를 써넣으세요.

❺

	5	7	☐
9	8		☐
2		3	☐
☐	☐	☐	

❻

	9		6	☐
	4	7		☐
2		8		☐
5			3	☐
☐	☐	☐	☐	

✤ 조건에 맞게 성냥개비를 움직여 올바른 식이 되도록 만들어 보세요.

❼

성냥개비 1개 빼기

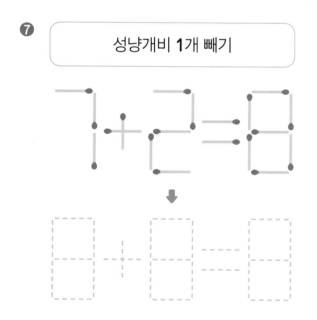

❽

성냥개비 1개 옮기기

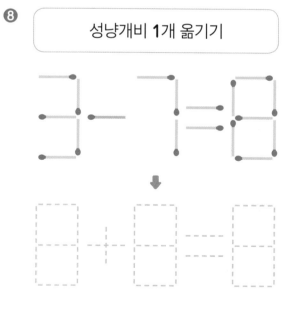

♣ ◯ 안의 수만큼 칸을 지나 도착점까지 선을 그어 보세요. 가로 또는 세로로만 선을 그을 수 있고, 한 번 지나간 칸은 다시 지날 수 없습니다.

❶

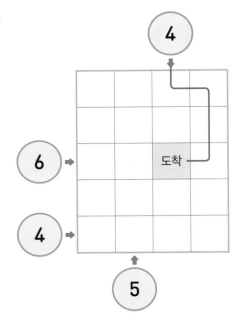

❷

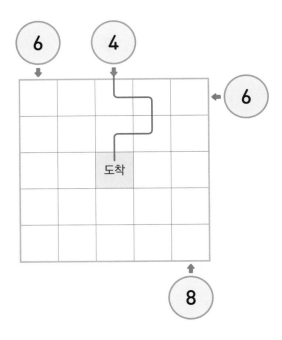

♣ 수를 모두 찾아 ◯표 하세요.

❸

5	6	8	
1		3	
	2	3	0

38	568	12	833
230	563	51	830

❹

	1	4	
9	7		5
	8	2	8

97	187	14	58
85	828	98	178

✤ 가로에 있는 두 수의 곱은 오른쪽에, 세로에 있는 두 수의 곱은 아래에 있는 수가 됩니다. 곱이 바르게 되도록 지워야 할 수를 찾아 ✕표 하세요.

❺

7	4	2	14
6	8	4	48
3	5	9	45

42   40   18

❻

5	4	3	20
1	8	9	72
7	2	6	42

35   32   54

✤ 다음 동전을 사용하여 매트릭스를 완성하려고 합니다. 빈칸에 알맞은 동전의 금액을 써 넣으세요. 오른쪽과 아래에 있는 수는 각각 가로, 세로에 놓인 금액의 합입니다.

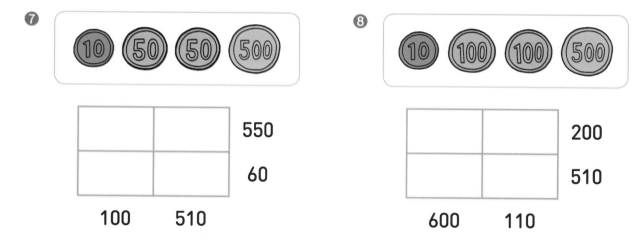

❼

		550
		60

100   510

❽

		200
		510

600   110

pensées

네이버 공식 지원 카페 필즈엠

씨투엠에듀 공식 인스타그램

'사고력수학의 시작'

파스칼

pensées

B2
정답과 풀이

1주차 논리 퍼즐

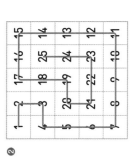

pensées

DAY 1

수 연결

수를 크기 순서대로 이어 보세요.

먼저 1을 찾은 후 차례로 이어 봐.

④

⑥

③

⑤

수 배열 규칙

규칙에 맞게 수를 크기 순서대로 배열한 것입니다. 빈칸에 알맞은 수를 써넣으세요.

먼저 수 배열의 규칙을 찾아봐.

⇨ 방향으로 수를 배열하였습니다.

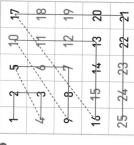

②

①

1주차 논리 퍼즐

DAY 3

넘브릭스

가로, 세로로 이웃한 칸과 순서대로 연결되고 각 칸에 주어진 수가 한 번씩 들어가도록
넘브릭스 퍼즐을 풀어 보세요.

1부터 25까지의 수

❶

1부터 25까지의 수

❷

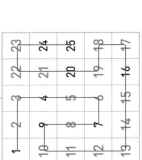

pensées

1부터 25까지의 수

❸

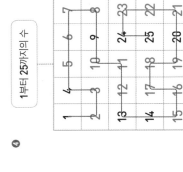

1부터 25까지의 수

❹

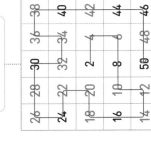

1부터 49까지의 홀수

❺

2부터 50까지의 짝수

❻

pensées

DAY 4

칸 수 세기

○ 안에 선이 지나간 칸 수를 세넣으세요. 출발 지점이 칸 수는 제외합니다.

모든 칸을 지나가도록 선을 그은 모양이야.

❶

❷

❸

❹

❺

❻

평세 B2_퍼즐과 전략

12

1주_논리 퍼즐

13

1주차

노리 퍼즐

DAY 5

pensées

칸 수 노노그램

✏️ 안의 수만큼 칸을 지나 도착점까지 선을 그어 보세요. 가로 또는 세로로만 선을 그을 수 있고, 한 번 지나간 칸은 다시 지날 수 없습니다.

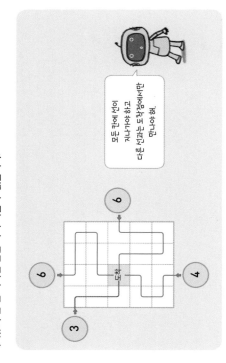

❶

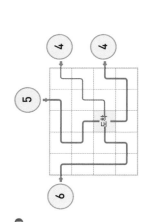

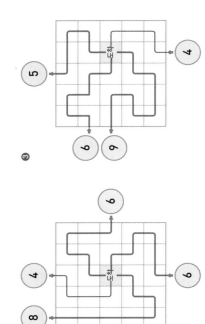

❸

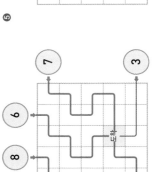

❺

❷

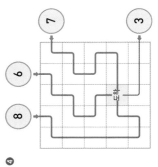

❹

확인학습

가로, 세로로 이웃한 칸과 순서대로 연결되고 각 칸에 1부터 25까지의 수가 한 번씩 들어가도록 넘버링스 퍼즐을 풀어 보세요.

❶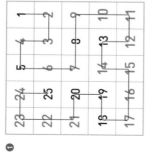

❷

5	4	3	24	23
6	1	2	25	22
7	14	15	16	21
8	13	12	17	20
9	10	11	18	19

안의 수만큼 칸을 지나 도착점까지 선을 그어 보세요. 가로 또는 세로로만 선을 그을 수 있고, 한 번 지나간 칸은 다시 지날 수 없습니다.

❸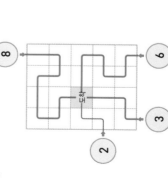

❹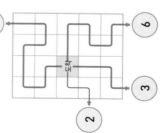

2주차 수 배치

DAY 1

수 찾기

◆ 수를 모두 찾아 ○표 하세요.

가로, 세로 방향으로 수를 찾아봐.

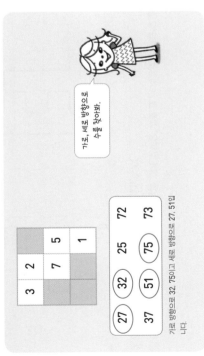

3	2		
	7	5	
			1

27 32 25 72
37 51 75 73

가로 방향으로 32, 75이고 세로 방향으로 27, 51입니다.

❶

	6	7
9		1
4	7	

67 97 94 76
61 49 71 47

❷

2		
6	8	
	5	9

65 89 85 68
59 62 56 26

❸

6	9	
4	3	2
		5 7 1

74 269 64 713
178 927 571 639

❹

	7	1
4	8	3
	2 6 0

73 260 71 710
782 48 86 30

❺

3	2	0 5
7	1 8	8 6 3
2		

372 205 883 318
718 783 865 863

❻

	7	4 4
	6 9	2 3
3		8 5

443 903 925 369
203 385 769 302

DAY 2 꼬리를 무는 수

주어진 수를 한 번씩 모두 사용하여 퍼즐을 완성하세요.

두 자리 수가 하나뿐이므로 두 자리 수부터 넣어 봐.

84	215	574	923

❶
70	167	526	745

❷
45	60	71	169	529

주어진 숫자 0이 있는 수를 먼저 찾아봅니다.

먼저 주어진 숫자를 이용하여 수를 넣어 봅니다.

❸
51	57	61	62
65	74	77	85

❹
12	24	35	49
55	61	78	86

❺
13	54	320	598
621	679	882	

621과 679는 백의 자리 숫자가 같습니다. 백의 자리 숫자 6이 들어가는 칸을 먼저 찾아봅니다.

❻
53	67	308	481
516	532	718	940

516과 532는 백의 자리 숫자가 같습니다. 백의 자리 숫자 5가 들어가는 칸을 먼저 찾아봅니다.

DAY 3 가로세로 수 퍼즐

✏ 가로, 세로 열쇠를 보고 빈칸에 알맞은 수를 써넣으세요.

①9	8	②7	
	1		9
		③1	0

가로 ①은 주어진 조건만으로는 구할 수 없어. 먼저 확실히 알 수 있는 수를 찾아.

[가로 열쇠]
① 백의 자리에서 일의 자리로 갈수록 1씩 작아지는 수
③ 가장 작은 두 자리 짝수

[세로 열쇠]
① 각 자리 숫자의 합이 10인 두 자리 수 중 가장 큰 수
② 800보다 10 작은 수

❶

①9	2	②1	
9		③3	④8
⑤9	4		8
			8

[가로 열쇠]
① 일의 자리부터 거꾸로 쓰면 129인 수
③ 35보다 3 큰 수
⑤ 십의 자리 숫자가 일의 자리 숫자보다 5 큰 수

[세로 열쇠]
① 가장 큰 세 자리 수
② 두 번째로 작은 두 자리 홀수
④ 각 자리 숫자가 모두 8인 세 자리 수

❷

	①9	②2		③9
		④1	0	0
⑤5	3	1		
8			⑥6	8
⑦7	7		3	

[가로 열쇠]
① 각 자리 숫자의 합이 11인 두 자리 수 중 가장 큰 수
④ 가장 작은 세 자리 수
⑤ 일의 자리에서 백의 자리로 갈수록 2씩 커지는 세 자리 수
⑥ 43+25
⑦ 앞으로 읽으나 뒤로 읽으나 같은 수

[세로 열쇠]
② 200보다 11 큰 수
③ 100보다 10 작은 수
⑤ 590보다 3 작은 수
⑥ 일의 자리 숫자가 십의 자리 숫자의 절반인 수

❸

		①7	0	
②1	4	7		
0		③7	④9	9
⑤3	⑥3			
		1	⑦1	1

[가로 열쇠]
① 80보다 10 작은 수
② 백의 자리에서 일의 자리로 갈수록 3씩 커지는 수
③ 각 자리 숫자의 합이 25인 세 자리 수
⑤ 십의 자리 숫자와 일의 자리 숫자가 같은 두 자리 수
⑦ 가장 작은 두 자리 홀수

[세로 열쇠]
① 각 자리 숫자가 모두 같은 수
② 두 번째로 작은 세 자리 홀수
④ 900보다 1 큰 수
⑥ 십의 자리 숫자가 일의 자리 숫자보다 큰 두 자리 홀수

DAY 4

수 만들기

화살표 방향으로 두 자리 수를 완성하세요.

모두 6개의 수를 만들 수 있어.

①

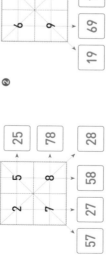

②

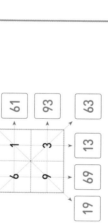

③

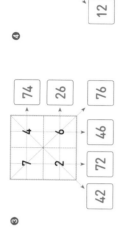

④

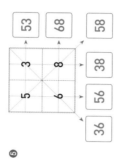

⑤

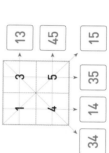

⑥

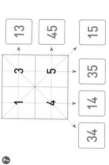

⑦

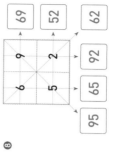

⑧

2주차 수 배치

DAY 5 수 배치하기

◈ 화살표의 방향을 따라 두 자리 수 6개를 만들 수 있습니다. 이와 같은 방법으로 다음과 같이 두 자리 수 6개를 만들었을 때, 빈칸에 알맞은 수를 써넣으세요.

	1	2		12
			34	
	3	4	24	14
23	13			

❶

26	48	68	64	28	24

2	6
4	8

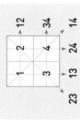

빨간색 칸에 들어갈
숫자는 6번의 자리에만
세 번 사용된 숫자야.

❷

54	84	53	34	38	58

5	3
8	4

21	79	91	72	92	71

7	9
2	1

십의 자리에 세 번 사용된 숫자는 왼쪽 위 칸에 들어갑니다.
십의 자리에 두 번 사용된 숫자는 오른쪽 위 칸에 들어갑니다.
십의 자리에 한 번 사용된 숫자는 왼쪽 아래 칸에 들어갑니다.
일의 자리에만 사용된 숫자는 오른쪽 아래 칸에 들어갑니다.

---

pensées

❸

37	62	27	63	32	67

6	3
2	7

❹

17	15	35	37	75	13

1	3
7	5

❺

34	84	98	93	83	94

9	8
3	4

❻

74	64	41	67	61	71

6	7
4	1

❼

82	52	53	32	83	58

5	8
3	2

❽

59	69	36	35	56	39

3	5
6	9

확인학습

✏️ 주어진 수를 한 번씩 모두 사용하여 퍼즐을 완성하세요.

❶

21	23	47	49
50	63	80	81

4	7		6
9		2	3
	8	1	
5	0		

일의 자리 숫자가 7인 수를 먼저 찾아봅니다.

❷

58	76	307	679
684	753	912	

7	6		5
5		6	8
			4
3	0		
	9	1	2

679와 684는 백의 자리 숫자가 같습니다. 백의 자리 숫자 6이 들어가는 칸을 먼저 찾아봅니다.

✏️ 오른쪽과 같은 방법으로 두 자리 수 6개를 만들었을 때, 빈칸에 알맞은 수를 써넣으세요.

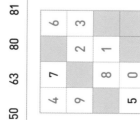

❸

16	41	46	91	94	96

| 9 | 4 |
| 1 | 6 |

❹

23	25	28	53	58	83

| 2 | 5 |
| 8 | 3 |

곱셈 퍼즐

가로세로 곱셈

✏️ 가로에 있는 두 수의 곱은 오른쪽에, 세로에 있는 두 수의 곱은 아래에 있는 수가 됩니다. □ 안에 알맞은 수를 써넣으세요.

> 줄에 잘 맞춰서 곱셈을 해 보자.

pensées

❶ ❷ ❸ ❹ ❺ ❻

DAY 2

곱셈 매트릭스 (1)

가로에 있는 두 수의 곱은 오른쪽에, 세로에 있는 두 수의 곱은 아래에 있는 수가 됩니다. 곱이 바르게 되도록 지워야 할 수를 찾아 ×표 하세요.

보기

6	3	✗	18
✗	9	5	45
8	✗	2	16
48	27	10	

6×3=18
9×5=45
8×2=16

가로줄, 세로줄 중에 칸이 서로 겹친 것을 하나 선택해서 풀어 봐.

❶
3	5	✗	15
7	4	✗	28
✗	2	6	12
21	8	30	

❷
✗	2	18
9	✗	42
5	3	15
35	27	12

❸
3	1	✗	3
6	✗	9	54
✗	8	4	32
18	8	36	

❹
✗	8	4	32
5	6	✗	30
7	✗	7	49
35	48	28	

❺
6	2	✗	12
6	8	✗	48
✗	5	3	15
36	40	6	

❻
7	9	63
✗	4	16
8	✗	48
56	24	36

평세 B2_퍼즐과 전략

3주·곱셈 퍼즐

33

곱셈 퍼즐

DAY 3

곱셈 매트릭스 (2)

✍ 가로에 있는 두 수의 곱은 오른쪽에, 세로에 있는 두 수의 곱은 아래쪽에 있는 수가 되도록 빈칸에 2부터 9까지의 수를 써넣으세요.

> 빈칸에 들어갈 수를 예상해 본 후 가로, 세로 한 번씩 곱해 표로 확인해요.

8이 되는 식은 1×8(8×1), 2×4(4×2)인데 2부터 9까지의 수를 써야 하므로 2와 4를 넣습니다.

			8
2	4		8
	5	7	35
9		3	27
18	20	21	

시행착오를 거치면서 수를 넣어 봅니다.

❶

			14
7	2		14
4		6	32
	6	3	18
28	12	24	

❷

			24
3		8	24
	9	2	18
5	6		30
15	54	16	

시행착오를 거치면서 수를 넣어 봅니다.

❸

			14
2	7		14
4	3		12
	6	8	48
	9	5	45
8	42	27	40

❹

			20
4	5		20
8		7	56
		6	12
2	9	3	27
18	32	30	21

❺

			32
4	8		32
	2	5	10
9		7	63
	6	3	18
36	12	56	15

❻

			28
7	4		28
		3	15
	8	2	16
5		6	54
45	14	32	18

DAY 4 도형이 나타내는 수

✎ 가로에 있는 두 수의 곱은 오른쪽에, 세로에 있는 두 수의 곱은 아래에 있는 수입니다.
각 모양은 1부터 9까지의 수 중 하나입니다. □ 안에 알맞은 수를 써넣으세요.

같은 모양은 같은 수,
다른 모양은 다른 수

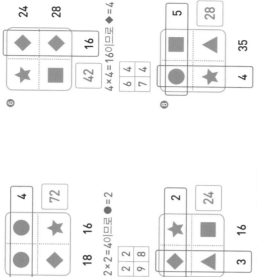

■=2, ★=40이므로 ★=2×4=8입니다.
● ×=9에서 3×3=9이므로
●=3입니다.

❶ 15 35 25 21

❷ 27 18 54 9 3×3=9이므로 ■=3

❸ 15 21 56 49 24 5×5=25이므로 ▲=5 / 7×7=49이므로 ●=7
7 7
8 3

❹ 15 20 3 4 3×1=3, 4×1=4를 이용합니다.
5 4
3 1

❺ 4 72 16 18 2×2=4이므로 ●=2

❻ 24 28 16 42 4×4=16이므로 ◆=4
6 4
7 4

❼ 2 24 16 3 1×2=2, 1×3=3을 이용합니다.
1 2
3 8

❽ 5 28 35 4 1×5=5, 1×4=4를 이용합니다.
1 5
4 7

❾ 15 12 18 10 5×3=15, 5×2=10을 이용합니다.
5 3
2 6

❿ 14 27 18 21 7×2=14, 7×3=21을 이용합니다.
7 2
3 9

곱셈 퍼즐

패턴 인식 목표수

색칠한 칸부터 시작하여 가로, 세로, 대각선 방향으로 5칸을 이동하며 차례로 계산한 걸 과가 ◯ 안의 수가 되도록 선으로 이어 보세요. 계산 순서는 앞의 두 수를 먼저 계산한 다음 세 번째 수를 계산합니다.

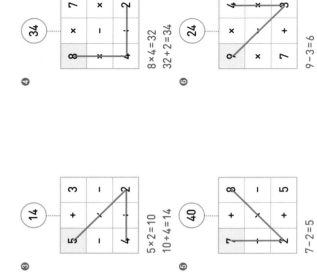

앞의 두 수를 먼저 계산한 후 세 번째 수를 계산하도록 해.

(42)

4	+	5
÷	+	÷
3	+	6

$3+4=7, 7×6=42$

① **(21)**

3	÷	4
+	×	+
6	÷	7

$6×4=24$
$24-3=21$

② **(48)**

+	×	6
×	÷	+
2	×	3

$2×4=8$
$8×6=48$

③ **(14)**

5	÷	4
÷	+	÷
5	+	2

| 3 |
| ÷ |
| 2 |

$5×2=10$
$10+4=14$

④ **(34)**

8	×	4
÷	-	÷
×	÷	2

| 7 |
| × |
| 2 |

$8×4=32$
$32+2=34$

⑤ **(40)**

7	-	2
+	×	+
8	-	5

$7-2=5$
$5×8=40$

⑥ **(24)**

9	-	3
×	÷	+
4	×	6

$9-3=6$
$6×4=24$

⑦ **(32)**

4	-	8
×	×	÷
8	+	5

$4×6=24$
$24+8=32$

⑧ **(36)**

7	-	3
×	÷	+
5	×	9

$7-3=4$
$4×9=36$

✏️ 가로에 있는 두 수의 곱은 오른쪽에, 세로에 있는 두 수의 곱은 아래에 있는 수입니다.
각 모양은 1부터 9까지의 수 중 하나일 때 ☐ 안에 알맞은 수를 써넣으세요.

❶

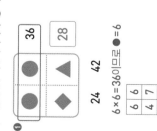

●	●	36
▲	◆	28
24	42	

6×6=36이므로 ●=6

6	6
4	7

❷

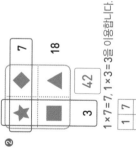

◆	★	7
▲	■	18
42	3	

1×7=7, 1×3=3을 이용합니다.

1	7
3	6

✏️ 색칠한 칸부터 시작하여 가로, 세로, 대각선 방향으로 5칸을 이동하며 차례로 계산한 결
과가 ◯ 안의 수가 되도록 선으로 이어 보세요. 계산 순서는 앞의 두 수를 먼저 계산한
다음 세 번째 수를 계산합니다.

❸ ◯13

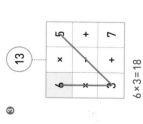

6×3=18
18−5=13

❹ ◯20

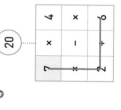

7×2=14
14+6=20

4주차 동전과 성냥개비

DAY 1

개수와 금액

동전의 개수와 금액을 구해 보세요.

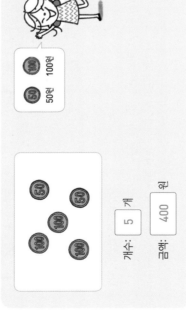

50원 100원

개수: 5 개
금액: 400 원

①
개수: 6 개
금액: 400 원

②
개수: 8 개
금액: 400 원

③
개수: 8 개
금액: 550 원

④
개수: 9 개
금액: 550 원

⑤
개수: 10 개
금액: 750 원

⑥
개수: 12 개
금액: 750 원

DAY 2 금액 만들기 ·······pensées

50원, 100원짜리 동전을 주어진 개수만큼 사용하여 □ 안의 금액을 만들려고 합니다.
○ 안에 금액을 알맞게 써넣으세요.

50원짜리 동전 2개가
100원임을 이용해.

500원 | 6개
(100) (100) (100)
(100) (50) (50)

100원짜리 5개로 만들면 ○가 1개 남습니다.
따라서 100원짜리 1개를 50원짜리 2개로 바꿉니다.

❶
500원 | 7개
(100) (100) (100)
(50) (50) (50)

500원 | 8개
(100) (100) (100) (50)
(50) (50) (50) (50)

❷
700원 | 8개
(100) (100) (100) (100)
(100) (100) (100) (50)

700원 | 10개
(100) (100) (100) (100)
(100) (50) (50) (50)
(50) (50) (50)

❸
800원 | 12개
(100) (100) (100)
(100) (50) (50)
(100) (50) (50)
(100) (50) (50)

800원 | 15개
(100) (50) (50) (50)
(50) (50) (50) (50) (50)
(50) (50) (50) (50)

DAY 3

동전 매트릭스 ......pensées

다음 동전을 사용하여 매트릭스를 완성하려고 합니다. 빈칸에 알맞은 동전의 금액을 써 넣으세요. 오른쪽과 아래에 있는 수는 각각 가로, 세로에 붙인 금액의 합입니다.

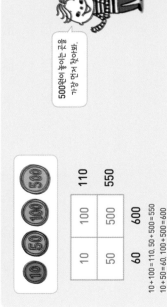

500원이 놓이는 곳을 가장 먼저 찾아봐.

보기

10	100	110
50	500	550
60	600	

10+100=110, 50+500=550
10+50=60, 100+500=600

❶

100	50	150
10	500	510
110	550	

100+50=150, 10+500=510
100+10=110, 50+500=550

❷

500	100	600
10	50	60
510	150	

500+100=600, 10+50=60
500+10=510, 100+50=150

❸

500	100	600
10	10	20
510	110	

500+100=600, 10+10=20
500+10=510, 100+10=110

❹

100	50	150
500	50	550
600	100	

100+50=150, 500+50=550
100+500=600, 50+50=100

❺

100	50	150
100	500	600
200	550	

100+50=150, 100+500=600
100+100=200, 50+500=550

❻

100	100	200
10	50	60
110	150	

100+100=200, 10+50=60
100+10=110, 100+50=150

DAY 4

성냥개비 숫자

다음은 성냥개비로 만든 0부터 9까지의 숫자입니다.

0123456789

조건에 맞게 성냥개비 숫자를 그려 보세요.

성냥개비 1개 빼서 만든 수

성냥개비 숫자를 세어 봐. 만든 수는 성냥개비 몇 개가 필요할까?

① 성냥개비 1개 빼서 만든 수

② 성냥개비 1개 더해서 만든 수

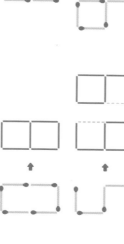

③ 성냥개비 1개 옮겨서 만든 수

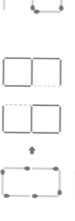

동전과 성냥개비

DAY 5

성냥개비 식

조건에 맞게 성냥개비를 움직여 올바른 식이 되도록 만들어 보세요.

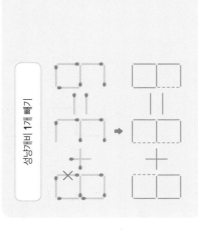

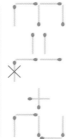

성냥개비를 ① 빼거나, ② 더하거나, ③ 옮기는 거야.

성냥개비 1개 빼기

① 성냥개비 1개 빼기

② 성냥개비 1개 빼기

---

pensées

③ 성냥개비 1개 더하기

④ 성냥개비 1개 옮기기

⑤ 성냥개비 1개 옮기기

⑥ 성냥개비 1개 옮기기

확인학습

50원, 100원짜리 동전을 주어진 개수만큼 사용하여 □ 안의 금액을 만들려고 합니다.
○ 안에 금액을 알맞게 써넣으세요.

① 750원

10개

100	100	100	
100	100	50	
100	50	50	
100	100	50	

12개

100	100	50
100	50	50
100	50	50
50	50	50

조건에 맞게 성냥개비를 움직여 올바른 식이 되도록 만들어 보세요.

② 성냥개비 1개 더하기

③ 성냥개비 1개 빼기

TEST 1

마무리 평가

❖ 수를 크기 순서대로 이어 보세요.

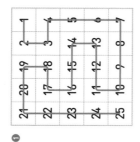

❶

❷

❖ 주어진 수를 한 번씩 모두 사용하여 퍼즐을 완성하세요.

❸

| 14 | 23 | 30 | 45 |
| 56 | 69 | 71 | 98 |

7	1		5		6	9
	4	5		6		8
2					0	
3	0					8

일의 자리 숫자가 8인 수를 먼저 찾아봅니다.

❹

| 32 | 70 | 204 | 217 |
| 289 | 469 | 658 | 872 |

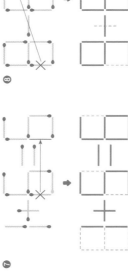

32와 872는 일의 자리 숫자가 같습니다. 일의 자리 숫자 2가 들어가는 칸을 먼저 찾아봅니다.

---

pensées
제한 시간 15분
맞은 개수 / 8개

❖ 가로에 있는 두 수의 곱은 오른쪽에, 세로에 있는 두 수의 곱은 아래에 있는 수가 되도록 빈칸에 2부터 9까지의 수 중 알맞은 수를 써넣으세요.

❺

	2	3	6
	7		28
		5	45
14	15	36	

❻

	3	7	21
4		6	24
2	9		18
8	5		40
8	24	63	30

시행착오를 거치면서 수를 넣어 봅니다.

❖ 성냥개비 1개를 옮겨 올바른 식이 되도록 만들어 보세요.

❼

❽

TEST 2 마무리 평가

❖ 규칙에 맞게 수를 크기 순서대로 배열한 것입니다. 빈칸에 알맞은 수를 써넣으세요.

❶
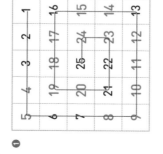

❷
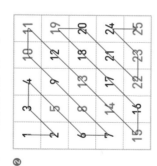

❖ 가로, 세로 열쇠를 보고 빈칸에 알맞은 수를 써넣으세요.

[가로 열쇠]
① 일의 자리에서 백의 자리로 갈수록 2씩 작아지는 세 자리 수
③ 각 자리 숫자의 합이 16인 세 자리 수
⑤ 십의 자리 숫자가 일의 자리 숫자보다 5 작은 수
⑥ 가장 큰 두 자리 짝수
⑦ 68보다 10 큰 수

[세로 열쇠]
② 가장 큰 세 자리 수
④ 75보다 10 작은 수
⑤ 일의 자리부터 거꾸로 쓰면 824인 수

❸
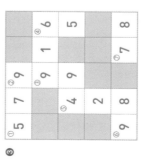

❖ 가로에 있는 두 수의 곱은 오른쪽에, 세로에 있는 두 수의 곱은 아래에 있는 수입니다. 각 모양은 1부터 9까지의 수 중 하나이며 □ 안에 알맞은 수를 써넣으세요.

❹
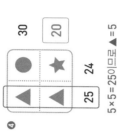

30
★ 24
25
20

$5 \times 5 = 25$이므로 ▲ $= 5$

5	6
5	4

❺
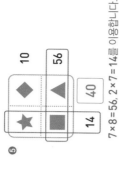

10
◀ 56
40
14

$7 \times 8 = 56$, $2 \times 7 = 14$를 이용합니다.

2	5
7	8

❖ 동전의 개수와 금액을 구해 보세요.

❻

개수: 10 개
금액: 850 원

❼

개수: 13 개
금액: 850 원

마무리 평가

TEST 3 마무리 평가

❖ 가로, 세로로 이웃한 칸과 순서대로 연결되고 각 칸에 1부터 25까지의 수가 한 번씩 들어가도록 넘브릭스 퍼즐을 풀어 보세요.

①

②

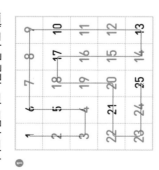
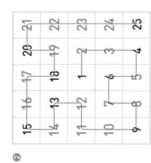

❖ 화살표 방향으로 두 자리 수를 완성하세요.

③

④

⑤

⑥

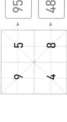

❖ 색칠한 칸부터 시작하여 가로, 세로, 대각선 방향으로 5칸을 이동하며 차례로 계산한 결과가 ○ 안의 수가 되도록 선으로 이어 보세요. 계산 순서는 앞의 두 수를 먼저 계산한 다음 세 번째 수를 계산합니다.

⑦ 45

2 + 7 = 9
9 × 5 = 45

⑧ 21

4 × 3 = 12
12 + 9 = 21

❖ 50원, 100원짜리 동전을 주어진 개수만큼 사용하여 □ 안의 금액을 만들려고 합니다. ○ 안에 금액을 알맞게 써넣으세요.

⑨ 600원

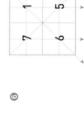
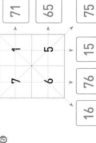

7개

10개

마무리 평가

❖ ○ 안에 선이 지나간 칸의 수를 써넣으세요. 출발 지점이 간 수는 제외합니다.

❶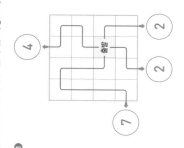

❷

❖ 오른쪽과 같은 방법으로 두 자리 수 6개를 만들었을 때, 빈칸에 알맞은 수를 써넣으세요.

❸ 23 27 42 43 47 73

4	2
7	3

❹ 51 59 61 65 69 91

6	5
9	1

❖ 가로에 있는 두 수의 곱은 오른쪽에, 세로에 있는 두 수의 곱은 아래에 있는 수가 됩니다. ☐ 안에 알맞은 수를 써넣으세요.

❺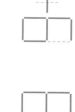

5	9		35
8	7		72
	3		6
18	40	21	

❻

6		9		54
	7	4	2	28
	8		5	16
3				15
18	56	36	10	

❖ 조건에 맞게 성냥개비를 움직여 올바른 식이 되도록 만들어 보세요.

❼ 성냥개비 1개 빼기

❽ 성냥개비 1개 옮기기

TEST 5 마무리 평가

pensées
제한 시간 15분
맞은 개수 /8개

❖ 안의 수만큼 칸을 지나 도착점까지 선을 그어 보세요. 가로 또는 세로로만 선을 그을 수 있고, 한 번 지나간 칸은 다시 지날 수 없습니다.

❶
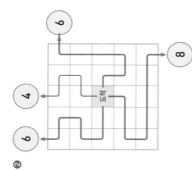

❷
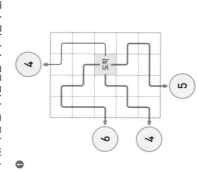

❖ 수를 모두 찾아 ○표 하세요.

❸

5	6	8	
1		3	0
	2	3	

38 (568) 12 (833)

(230) 563 (51) 830

❹

1	4		
7			5
8	2	8	
9			

97 187 (14) 58

85 (828) 98 178

❖ 가로에 있는 두 수의 곱은 오른쪽에, 세로에 있는 두 수의 곱은 아래에 있는 수가 됩니다. 곱이 바르게 되도록 지워야 할 수를 찾아 ×표 하세요.

❺

7	✕	2	14
6	8	✕	48
✕	5	9	45
42	40	18	

❻

5	✕	4	20
✕	8	9	72
7	✕	6	42
35	32	54	

❖ 다음 동전을 사용하여 매트릭스를 완성하려고 합니다. 빈칸에 알맞은 동전의 금액을 써넣으세요. 오른쪽과 아래에 있는 수는 각각 가로, 세로의 금액의 합입니다.

❼

50	50	550
50	10	60
100	510	

50+500=550, 50+10=60
50+50=100, 500+10=510

❽

100	100	200
500	10	510
600	110	

100+100=200, 500+10=510
100+500=600, 100+10=110

pensées

pensées

₩두엠 지식과상상 연구소 since 2013

교재 소개 및 난이도 안내

*일부 교재 출시 예정입니다.

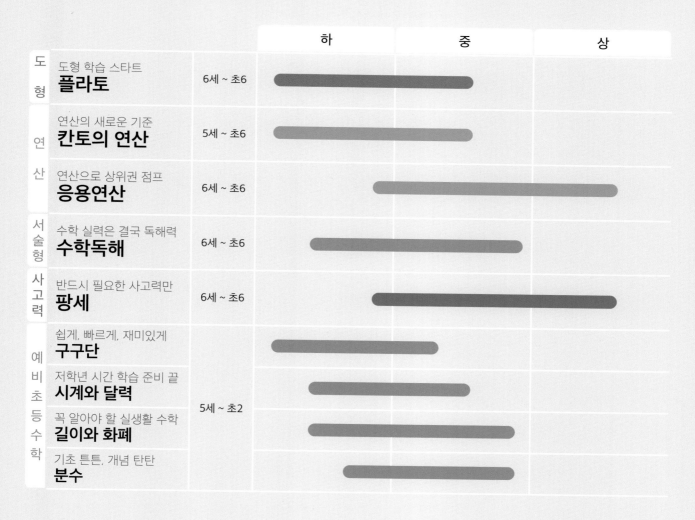

분류	교재	연령	하	중	상
도형	도형 학습 스타트 **플라토**	6세 ~ 초6	████████		
연산	연산의 새로운 기준 **칸토의 연산**	5세 ~ 초6	████████		
연산	연산으로 상위권 점프 **응용연산**	6세 ~ 초6		████████	
서술형	수학 실력은 결국 독해력 **수학독해**	6세 ~ 초6	████	████	
사고력	반드시 필요한 사고력만 **팡세**	6세 ~ 초6		████████	
예비초등수학	쉽게, 빠르게, 재미있게 **구구단**	5세 ~ 초2	████		
예비초등수학	저학년 시간 학습 준비 끝 **시계와 달력**	5세 ~ 초2		████	
예비초등수학	꼭 알아야 할 실생활 수학 **길이와 화폐**	5세 ~ 초2		████	
예비초등수학	기초 튼튼, 개념 탄탄 **분수**	5세 ~ 초2		████	

Man is but a reed,
the most feeble thing in nature;
but he is a thinking reed,

"인간은 자연에서 가장 연약한 갈대에 불과하다.
하지만 인간은 생각하는 갈대이다."

Blaise Pascal, 블레즈 파스칼